Aux mains des sorciers

L'auteure : Marie-Hélène Delval est auteure de nombreux romans et histoires pour la jeunesse, publiés aux éditions Bayard Jeunesse, Flammarion… Pour Bayard, elle est également traductrice de l'anglais (les séries « L'Épouvanteur » et « La cabane magique », *L'Aîné…*). C'est une passionnée de littérature de l'Imaginaire et – bien sûr – de fantasy !

L'illustrateur : Alban Marilleau a étudié à l'École Supérieure de l'Image d'Angoulême. Depuis, il illustre des albums, de la bande dessinée, et travaille pour Bayard Presse. Ses ouvrages sont notamment publiés aux éditions Nathan et Larousse. Pour représenter l'univers magique des « Dragons de Nalsara », il s'est inspiré des ambiances qu'il fréquentait déjà enfant, dans les romans de Tolkien.

Dépôt légal : octobre 2010
ISBN : 978-2-7470-3370-1
Septième édition : juillet 2018
Loi n°49-956 du 16 juillet 1949 sur les publications à destination de la jeunesse.

Imprimé en Espagne par Novoprint

Aux mains des sorciers

Marie-Hélène Delval

Illustrations d'Alban Marilleau

bayard jeunesse

Cette histoire se passe au royaume
d'Ombrune, sous le règne du roi Bertram.
À deux heures de bateau du port de Nalsara,
la capitale, s'élève l'île aux Dragons.
On l'appelle ainsi car, tous les neuf ans,
deux ou trois dragonnes sauvages
viennent y déposer leur œuf.
C'est là que vit Antos, le Grand Éleveur
de dragons, avec ses enfants, Cham et Nyne.

Cham
Antos
Nyne

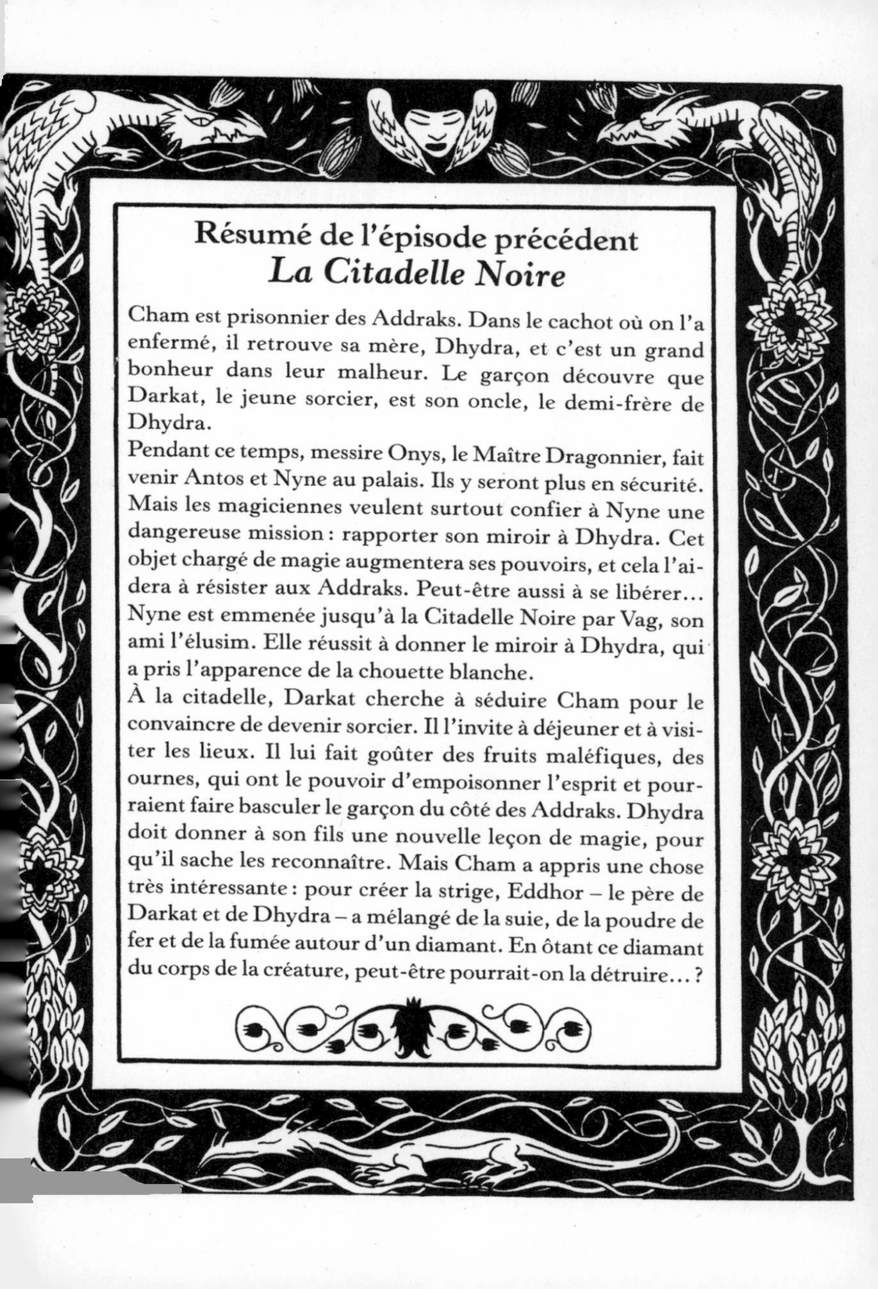

Résumé de l'épisode précédent
La Citadelle Noire

Cham est prisonnier des Addraks. Dans le cachot où on l'a enfermé, il retrouve sa mère, Dhydra, et c'est un grand bonheur dans leur malheur. Le garçon découvre que Darkat, le jeune sorcier, est son oncle, le demi-frère de Dhydra.

Pendant ce temps, messire Onys, le Maître Dragonnier, fait venir Antos et Nyne au palais. Ils y seront plus en sécurité. Mais les magiciennes veulent surtout confier à Nyne une dangereuse mission : rapporter son miroir à Dhydra. Cet objet chargé de magie augmentera ses pouvoirs, et cela l'aidera à résister aux Addraks. Peut-être aussi à se libérer… Nyne est emmenée jusqu'à la Citadelle Noire par Vag, son ami l'élusim. Elle réussit à donner le miroir à Dhydra, qui a pris l'apparence de la chouette blanche.

À la citadelle, Darkat cherche à séduire Cham pour le convaincre de devenir sorcier. Il l'invite à déjeuner et à visiter les lieux. Il lui fait goûter des fruits maléfiques, des ournes, qui ont le pouvoir d'empoisonner l'esprit et pourraient faire basculer le garçon du côté des Addraks. Dhydra doit donner à son fils une nouvelle leçon de magie, pour qu'il sache les reconnaître. Mais Cham a appris une chose très intéressante : pour créer la strige, Eddhor – le père de Darkat et de Dhydra – a mélangé de la suie, de la poudre de fer et de la fumée autour d'un diamant. En ôtant ce diamant du corps de la créature, peut-être pourrait-on la détruire… ?

1

Le retour de Nyne

L'aube se lève à peine quand Vag, l'élusim, arrive en vue de Nalsara, portant Nyne sur son dos. Debout sur le rivage, Isendrine et Mélisande guettent anxieusement leur retour. Leurs longues robes pourpres claquent dans les bourrasques.

Dès que Nyne aperçoit les magiciennes, elle agite la main en criant :

– J'ai réussi ! Vag m'a emmenée jusqu'à la Citadelle Noire !

Dans sa tête résonne alors le rire de l'élusim :

« Elles ne t'entendent pas, petite fille ! Tu es trop loin, et la voix du vent couvre la tienne ! »

Non, les magiciennes n'entendent pas, mais elles ont compris. À leur tour, elles saluent les voyageurs à grands gestes joyeux.

Dès que Vag a déposé Nyne sur les cailloux de la rive, celle-ci court vers les deux femmes, qui la serrent contre elles l'une après l'autre :

– Comme nous sommes heureuses…

– … de te revoir saine et sauve, petite Nyne !

Au même instant, Antos s'éveille d'un profond sommeil. Il se redresse sur son lit, regarde autour de lui. Il ne reconnaît pas cette chambre. Puis il se souvient : son arrivée au palais avec Nyne ; les magiciennes et messire Onys qui veulent envoyer sa fille en mission – une mission dangereuse. Comment a-t-il pu s'endormir ? Il se lève d'un bond : Nyne n'est peut-être pas encore partie ! Il est peut-être encore temps de l'en empêcher ! Il regrette d'avoir donné son accord pour que l'élusim emmène la fillette chez les Addraks. C'est bien trop risqué !

L'éleveur de dragons galope déjà dans le corridor. Il va aller trouver messire Onys, il va lui dire que…

Il pousse la porte et fait irruption dans le bureau du Maître Dragonnier, hors d'haleine.

Ouf ! Sa fille est là, avec les magiciennes !

–Nyne !

–Papa !

Refermant ses bras sur elle, Antos balbutie :

–Tu ne partiras pas, Nyne ! Ce serait de la folie. Je ne veux pas que…

–Mais, papa, l'interrompt Nyne, étonnée, je suis revenue ! Tout s'est bien passé. La chouette blanche a porté son miroir à maman.

–Quelle chouette blanche ?

Antos, ahuri, questionne messire Onys et

les magiciennes du regard. Celles-ci déclarent :

– Hmm, Grand Éleveur, nous nous sommes permises de jeter sur vous…

– … un léger sortilège de sommeil. Ainsi, votre nuit a été sans angoisse.

Antos est furieux : ces belles dames ont vraiment de drôles de façons ! Mais sa fille est là, si jolie avec ses yeux brillants d'excitation, ses joues rosies par le froid. Il ravale sa colère.

– Ma petite Nyne, murmure-t-il. Tu es vraiment allée jusqu'au pays des Addraks ?

Messire Onys intervient alors :

– Si nous allions déjeuner ? Nyne nous racontera son aventure. Nous sommes tous très curieux de l'entendre. Savez-vous que cette jeune demoiselle est la seule personne du royaume d'Ombrune à avoir observé la Citadelle Noire de près ?

Tandis que le Maître Dragonnier conduit ses hôtes vers sa salle à manger privée, Antos interroge sa fille à voix basse :

– Est-ce que tu as vu ta mère ?

–Non, la fenêtre de son cachot était bien trop haute. C'est la chouette blanche qui est descendue prendre le miroir. Elle était déjà venue sur l'île aux Dragons, tu sais. Je pensais que c'était un oiseau que maman avait apprivoisé. À présent, je me demande…

–Quoi donc, Nyne ?

–Maman est magicienne, n'est-ce pas ? Elle est sûrement capable de se transformer en oiseau.

–Peut-être…

Nyne passe la main sur sa joue, là où la chouette l'a effleurée de son bec avant de s'envoler vers le sommet de la tour. N'était-ce pas un baiser de sa mère elle-même… ?

Dans le cachot de la Citadelle Noire, Cham se réveille aussi. Il a fait un rêve qui lui laisse une impression bizarre.

Dhydra est debout dans la pénombre, le visage tourné vers le carré clair de la fenêtre. Cham appelle à mi-voix :

–Maman ?

Aussitôt, elle pivote sur ses talons et vient vers lui. Elle le recoiffe tendrement du bout des doigts :

– Tu as bien dormi, mon fils ? Allez, lève-toi. Il y a de l'eau fraîche dans le broc ; tu vas faire un peu de toilette. Puis nous nous remettrons au travail. Mieux tu connaîtras les secrets de la magie, mieux tu sauras résister aux Addraks.

Le garçon acquiesce en silence. Il ôte sa chemise, verse de l'eau dans la cuvette et commence à se laver. Mais il est mal à l'aise ; il a l'impression que sa mère lui cache quelque chose. Si seulement il se souvenait de ce qu'il a vu en rêve ! Il ne se rappelle que d'une image floue : un rayon de lumière, une forme blanche… Le reste lui échappe. Que s'est-il passé pendant qu'il dormait ?

Le tombeau de Eddhor

À la fin de la matinée, alors que Cham s'applique à mémoriser de nouveaux mots magiques, Darkat pénètre dans le cachot. Dhydra a un sursaut de surprise : trop occupée à enseigner à son fils l'art de la magie, elle n'a pas entendu le jeune sorcier approcher.

Darkat s'adresse au garçon avec un sourire aimable :

– Mon cher neveu, si ma sœur le permet, je souhaite t'emmener visiter de nouveau notre citadelle. Hier, tu n'en as découvert qu'une toute petite partie.

Cham, anxieux, interroge sa mère du regard. Et si Darkat l'invite ensuite à partager son repas ? Cette perspective l'emplit d'effroi. Le sorcier tentera sûrement de lui faire encore goûter des aliments dangereux. Ce matin, le garçon s'est entraîné à utiliser son « œil intérieur ». Cette fois, il ne lui a fallu qu'une cinquantaine de secondes pour détecter une prune maléfique, une cytrisse. « Bravo, Cham ! l'a félicité sa mère. Tu es très doué. Tu as fait en moins d'une journée plus de progrès que la plupart des magiciens débutants en un mois ! »

Malgré tout, il est encore trop lent. S'il prétend qu'il n'a pas faim, s'il reste en arrêt devant chaque fruit ou légume que Darkat lui offrira avant de le porter à sa bouche, ce dernier comprendra qu'il se méfie.

Cependant, Dhydra encourage son fils à suivre le jeune sorcier :

– Va ! Ce sera beaucoup plus *intéressant* que de rester enfermé dans ce cachot obscur.

– Oh, ma sœur, se récrie aussitôt Darkat. Nous serions heureux de t'en faire sortir, tu le sais. Si tu acceptais d'aider les Addraks – ta famille – en appelant des dragons…

Dhydra lui jette un coup d'œil si noir qu'il n'ose pas achever sa phrase. Cham est rempli d'admiration : que sa mère est forte et fière ! Il doit se montrer digne d'elle ! Car il a perçu comment elle insistait sur le mot *intéressant* : pour la deuxième fois, elle l'envoie en mission d'exploration.

D'un ton faussement résigné, il demande :

– Que voulez-vous me montrer, aujourd'hui, *mon oncle* ?

En s'entendant appeler ainsi, Darkat a un petit rire satisfait. Et Cham se dit que ce sorcier si puissant est parfois bien facile à tromper.

Ce jour-là, Darkat fait visiter à Cham les écuries de la citadelle. Elles sont immenses et abritent plusieurs centaines de chevaux. Des destriers noirs aux yeux de braise, au poil luisant, qui frappent nerveusement le sol de leurs sabots.

Darkat emmène ensuite son neveu à l'armurerie. Les alignements de casques, de cottes de mailles, d'arcs, d'épées, de lances et de masses d'arme, tous forgés dans un métal aux reflets de nuit, impressionnent le garçon.

« Il veut me montrer la force des Addraks, songe-t-il. S'ils possédaient des dragons, c'est sûr, ils seraient invincibles ! »

Cham voit aussi, dans les écuries comme à l'armurerie, de nombreux valets vêtus de noir. Ils travaillent avec des gestes fébriles, la tête baissée. Tous évitent de croiser le regard du

sorcier. Certains jettent un rapide coup d'œil au garçon inconnu. Ce que Cham lit alors au fond de leurs yeux, c'est de la crainte.

« Ces hommes ne servent pas les sorciers addraks de leur plein gré, devine-t-il. Ils y sont obligés… »

Après quoi, Darkat déclare d'un ton grave :

– Maintenant, je vais te conduire auprès de ton grand-père.

Cham en reste muet. Son grand-père ? Mais… il est mort ! Eddhor,

le sorcier, le père de Darkat et de Dhydra, n'a-t-il pas été tué par la strige, le monstre qu'il a créé ?

Les jambes tremblantes, le cœur battant, le garçon suit son guide dans un escalier en spirale qui s'enfonce dans les profondeurs de la citadelle. La descente lui paraît interminable. Enfin, Darkat pousse une lourde porte, et tous deux pénètrent dans une crypte voûtée. À leur entrée, des dizaines de chandelles noires s'allument d'elles-mêmes dans de hauts candélabres.

Ils sont dans un tombeau.

Au centre de la crypte trône un sarcophage de marbre noir. Sur le dessus, une statue représente un homme allongé. Elle est sculptée avec tant de finesse que le gisant paraît simplement endormi. La lumière des chandelles donne à ses traits immobiles quelque chose de vivant. Cham s'approche. Puis il s'arrête, troublé : cet homme – son grand-père – est *beau* ! C'est une beauté dure et terrible. Mais le garçon se rappelle le récit de Viriana. Et il comprend que Solveig,

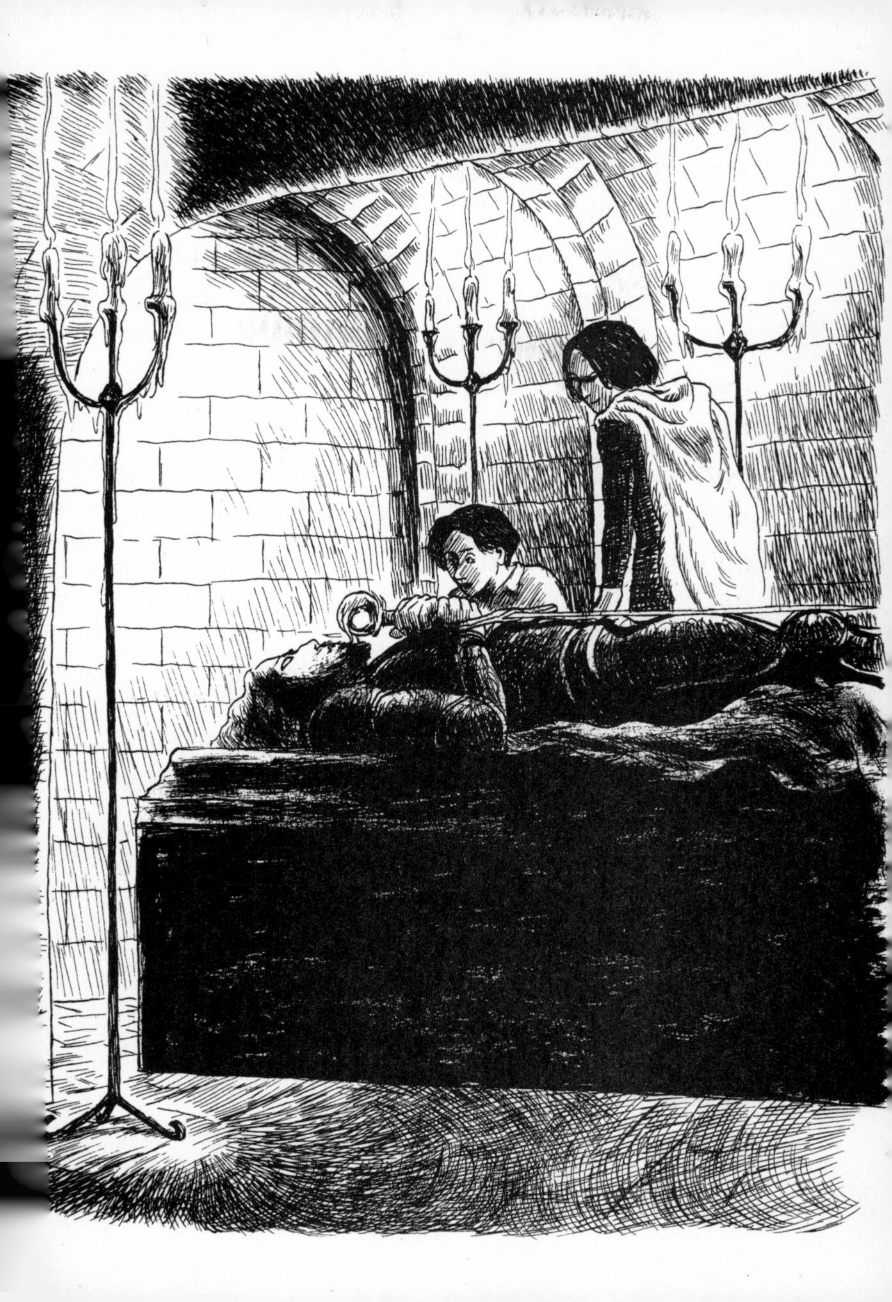

sa grand-mère, soit tombée amoureuse du mystérieux cavalier soi-disant venu des Montagnes du Nord.

La voix de Darkat s'élève, solennelle :

– Regarde ton grand-père, Cham ! Regarde-le bien ! Vois comme il est noble et fier ! Ne veux-tu pas te montrer digne d'un tel ancêtre ?

Le garçon frémit. Il voudrait haïr ce visage de pierre, et il est fasciné. Il voudrait s'enfuir, et il se sent pétrifié. Il s'approche encore ; il ne l'a pas décidé, ce sont ses jambes qui l'ont forcé à avancer. Il découvre dans les mains jointes du gisant une longue épée d'acier aux reflets couleur de sang, dont le pommeau représente un dragon enroulé sur lui-même. Cham l'observe, intrigué : au milieu du pommeau, entre les pattes du dragon, il y a un trou rond et vide.

– Oui, reprend Darkat d'une voix sourde, il manque quelque chose à cet endroit : un diamant.

– Un diamant ?

– Un diamant énorme, d'une pureté parfaite, capable de contenir les plus puissants des sortilèges. Eddhor l'a ôté de sa formidable épée pour concevoir une arme plus redoutable encore.

– La strige..., souffle Cham.

– La strige, répète Darkat.

Et le nom maudit résonne longuement sous la voûte obscure.

Empoisonné

Cham est resté toute la journée auprès du sorcier, et il n'a pas vu le temps passer. Lorsqu'il retourne dans le cachot, à la nuit tombée, Dhydra sent aussitôt que quelque chose va de travers. Cependant, elle accueille son fils comme si de rien n'était. Puis, dès que Darkat les a laissés seuls, elle déclare gaiement :

–Ma foi, j'étais sur le point de m'endormir ! Donne-nous un peu de lumière, veux-tu ?

–De la lumière ?

– Mais oui ! Tu te débrouilles si bien avec les lucioles !

– Ah, les lucioles…, fait Cham.

Et c'est d'un ton presque indifférent qu'il lance :

– *Brilill'iol !*

Les lucioles lui obéissent à une vitesse surprenante.

« Trop vite, songe Dhydra. Et leur clarté est trop vive. On dirait… qu'elles ont peur. »

Dissimulant son inquiétude, la jeune femme reprend :

– Eh bien, mon fils, qu'as-tu découvert, aujourd'hui ?

Cham, les sourcils froncés, semble réfléchir. Quand il prend enfin la parole, c'est pour poser à sa mère une question stupéfiante :

– Eddhor, ton père, et mon grand-père, n'était-il pas un personnage extraordinaire ? Un noble et puissant sorcier, qui a sacrifié sa vie pour le bien des Addraks ?

D'une voix lente et douce, Dhydra l'interroge à son tour :

– Qu'est-ce qui te fait dire ça, mon fils ?

Le garçon lève vers elle des yeux brillants d'excitation :

– Je l'ai *vu*, maman ! J'ai vu la statue qui le représente, sur son tombeau. Il est... si majestueux ! Et son épée... Oh, maman, j'ai tenu son épée !

Dhydra étouffe une exclamation d'effroi :

– Tu as touché Ténébreuse ?

Croyant sa mère captivée par son récit, Cham poursuit :

– Oui ! Darkat m'a permis de le faire ! L'arme est glissée dans une fente, entre les mains de la statue, de sorte qu'on peut la retirer. J'ai tenu Ténébreuse, maman ! L'épée de mon grand-père ! Je pensais qu'elle serait trop lourde. Mais non : on aurait dit qu'elle avait été forgée pour moi. C'est parce qu'elle est encore emplie de magie, même si le diamant n'y est plus.

– Le diamant...

– Oui, celui autour duquel Eddhor a façonné la strige. Et, vois-tu, l'épée s'adapte à la main et aux forces de celui qui la porte.

S'il est un héritier de Eddhor, comme Darkat ou… comme moi !

Le garçon a fait cette déclaration avec tant d'orgueil que Dhydra en est épouvantée. Elle était sûre que Darkat essayerait de séduire Cham. Elle croyait cependant son fils plus fort, capable de résister. Elle n'avait pas imaginé que le jeune sorcier oserait mettre l'épée de Eddhor entre les mains du garçon. Ténébreuse est un objet chargé de maléfices. Il va être bien difficile, à présent, de guérir Cham de ce poison. Surtout s'il a ensuite mangé des fruits dangereux… Il faut qu'elle en sache plus.

D'un ton aussi naturel que possible, Dhydra reprend :

– Tu es resté avec Darkat toute la journée. T'a-t-il offert à déjeuner, au moins ?

– Bien sûr ! Et tout était délicieux ! Au dessert, nous avons eu de nouveau des ournes. Je les ai bien reconnues. Darkat a vu que j'hésitais à en prendre et il m'a rassuré. Il m'a expliqué que ces fruits n'auraient pas d'effet sur moi, parce que je suis magicien.

Ils ne sont mauvais que pour les humains ordinaires.

–Et tu l'as cru, Cham ?

Le garçon lance à sa mère un regard étonné :

–Bien sûr, maman ! Tu sais, Darkat n'est pas comme je le pensais. On a beaucoup bavardé, tous les deux. Il va m'apprendre à manier l'épée, et il me fera découvrir encore bien d'autres secrets de la citadelle.

Cham se lance dans un récit enthousiaste, et Dhydra l'écoute, consternée : le mal est fait ; son fils est sous l'influence du sorcier !

D'un geste machinal, la jeune femme tâte son miroir, enfoui dans la poche de sa jupe. Son miroir, que Nyne lui a rapporté... Un objet si petit, et si précieux... ! Elle va avoir grand besoin de sa puissance magique pour résister encore aux Addraks.

Cham est là, près d'elle ; pourtant, depuis qu'elle est enfermée dans ce cachot, elle ne s'est encore jamais sentie aussi seule.

La nuit tombe sur Nalsara quand Isendrine et Mélisande entrent en coup de vent dans le bureau de messire Onys. Le Maître Dragonnier lève la tête, surpris : que lui veulent les magiciennes, à cette heure tardive ?

Elles annoncent aussitôt :

– Un malheur est arrivé. Les présages…

– … ont pris une couleur funeste.

– Une couleur funeste ? répète messire Onys. C'est-à-dire ?

Toutes deux pointent alors le doigt vers le coffret contenant le cristal-qui-voit. Cham l'avait emporté chez Viriana. Après que le garçon a été enlevé par la strige, la servante l'a remis au Maître Dragonnier.

– D'ailleurs, regardez…

– … cet étrange phénomène !

Le coffret de plomb est fermé, et seul Cham a le pouvoir de l'ouvrir. Or, une fumée verdâtre se faufile par la mince fente du couvercle. Ses volutes montent lentement vers l'ombre du plafond, où elles disparaissent.

Messire Onys les observe avec inquiétude :

– Qu'est-ce que cela signifie ?

Les magiciennes déclarent gravement :

– Cela signifie que l'âme du garçon…

– … a été empoisonnée.

– Alors, souffle le Maître Dragonnier, il est en grand danger. Et nous aussi !

Au même moment, dans la Dragonnerie royale, Nour s'agite dans sa stalle :

« Que t'arrive-t-il, petit maître ? Quelque chose de mauvais est entré en toi, je le sens... »

Le jeune dragon voudrait s'échapper, voler jusqu'au territoire des Addraks pour secourir le garçon. Ne lui a-t-il pas promis d'être toujours à ses côtés si quoi que ce soit le menaçait ?

Hélas, Nour sait qu'il ne peut pas intervenir. Du moins pour l'instant.

4

Sombres présages

Toute la soirée, Dhydra tente de convaincre son fils qu'il doit se méfier de Darkat. Mais le garçon ne veut rien entendre. Depuis qu'il a tenu l'épée de Eddhor, il n'est plus le même. Sa mère finit par abandonner : les paroles sont inutiles ; il ne lui reste que sa magie. Sera-t-elle assez puissante contre les maléfices de la Citadelle Noire, qui ont pénétré dans l'esprit de son fils ? Dhydra n'en est pas sûre. Une crainte terrible monte en elle : et si les Addraks voulaient se servir de Cham pour appeler des dragons ? Depuis bientôt neuf ans, elle refuse de le faire et elle refusera toujours ; les sorciers le savent. Mais Cham… Le garçon est intoxiqué par les fruits maléfiques, envoûté par le contact avec l'épée de Eddhor. Les Addraks pourront le manipuler ; il est entre leurs mains, à présent.

« Il faut que je prévienne les dragons », songe Dhydra.

Elle n'ose pas communiquer avec eux directement : cela provoquerait dans les airs une vibration magique que les Addraks percevraient. Heureusement, elle a un autre moyen.

Avec un soupir las, elle dit :

–La nuit est tombée. Il est temps de dormir, Cham.

Dès que le garçon s'est allongé sur son lit, sa mère s'agenouille près de lui et fredonne :

–Néoc varna slimane, karug er nos dûrim,
Sorna lami, mnelek, sorok vanyl !

Le sortilège de sommeil agit aussitôt :

Cham s'endort. Il ne se réveillera pas avant le matin.

Alors, Dhydra se concentre. Sa silhouette se brouille. L'instant d'après, une chouette blanche se perche sur le rebord de la fenêtre. L'oiseau se glisse entre les barreaux et s'élance au-dehors. Porté par le vent qui gonfle ses plumes, il vole vers une île rocheuse qui a un peu la forme d'une forteresse : le Château Roc. Là-bas, Otéron, le fidèle nicampe, attend les visites de la belle dame qui vient parfois le charger d'une mission. Une dame dont il ne connaît pas le nom, et qu'il nomme simplement *Elle.*

La lune ronde dérive lentement dans le ciel. Dhydra est revenue dans son cachot. Cette fois encore, personne n'a su qu'elle en était sortie. Pas même son fils.

La jeune femme pose un baiser sur le front du garçon endormi. Cham tressaille et gémit. Dhydra lui parle alors à voix basse :

– Tu souffres, mon enfant, je le sais. Une part de toi refuse de céder aux Addraks,

l'autre part est fascinée par leur noire splendeur. Tu es déchiré, et ma magie n'est pas assez puissante pour te défendre contre leurs maléfices. C'est en toi-même que tu trouveras la force de résister. Trouve cette force, Cham ! Il le faut ! Ne mets pas le royaume d'Ombrune en danger !

Pendant ce temps, Otéron, le nicampe, trotte le long d'un couloir obscur taillé dans le rocher. Ses pieds palmés claquent sur le sol. Tout en courant, il marmonne pour ne pas oublier :

–*Elle* a dit qu'une chose mauvaise se prépare. Hmm…, oui, les Addraks ont de vilains projets… Ils veulent se servir du garçon… Je dois prévenir les élusims…, pour qu'ils préviennent les dragons. Oui, c'est bien ce qu'*Elle* a dit.

Il arrive bientôt devant une ouverture donnant sur la mer. Il plonge dans une vague, la tête la première. Aussi souple et rapide qu'un dauphin, il s'enfonce dans les profondeurs marines, vers la demeure secrète des élusims.

Une traînée de nuages cache un instant la lune ; quand l'astre réapparaît, sa clarté pénètre dans le cachot. Dhydra s'approche de l'étroite fenêtre. Elle sort son miroir de sa poche et capte un éclat de lumière qu'elle relance au-dehors en récitant une formule. Elle ajoute à mi-voix :

–Va, et dis-leur que je les aime !

Presque aussitôt, un rayon argenté

pénètre dans une chambre du palais de Nalsara. Il caresse au passage la tête d'Antos, et le dormeur soupire de bonheur. Puis il coule jusqu'au lit de Nyne, joue dans ses longs cheveux noirs étalés sur l'oreiller blanc. La petite fille sourit dans son sommeil.

– Maman…, murmure-t-elle. Maman…

Dans une salle encombrée de gros livres, de parchemins et d'instruments bizarres, Isendrine et Mélisande sont penchées sur un récipient contenant un liquide aux reflets métalliques. L'une après l'autre, elles passent la main au-dessus. Le liquide se met à tournoyer lentement ; une vapeur s'en élève. De blanche elle vire au gris vert, puis devient couleur de suie.

Les magiciennes déclarent, la mine sombre :

– Présage de guerre, hélas ! C'est bien ce que nous craignions. Mais, d'abord…

– … quelqu'un doit se perdre avant de se retrouver.

Toutes deux se regardent en hochant la tête :

– Oui, Cham doit se perdre avant…

– … de se retrouver. C’est ainsi qu’il deviendra fort.

Magicien ou... sorcier ?

De hauts candélabres où brillent des bougies de cire noire illuminent une salle voûtée, aux murs couverts de tapisseries.

Le Conseil des Sorciers est réuni.

Douze hommes sont assis dans des fauteuils de bois disposés en cercle. La plupart sont âgés : leurs longs cheveux sont blancs, leurs visages ridés. L'un d'eux – le plus vieux – porte autour du front un bandeau d'argent orné de dessins étranges. Le plus jeune, c'est Darkat. Il raconte avec animation :

– La magie noire agit merveilleusement sur le garçon. Il ne m'a fallu que deux jours pour le mettre en confiance. Il a mangé des ournes. La première fois, il ne savait rien de leur pouvoir. La deuxième fois, il les a reconnues aussitôt.

– Il les a reconnues ?

Darkat se tourne vers l'homme qui vient de parler :

– Oui, maître Torus. Cela prouve à quel point il est doué pour la magie.

– Pourtant, il en a mangé ? s'étonne le plus âgé.

Le jeune sorcier hoche la tête :

– J'ai prétendu que ces fruits n'auraient aucun effet sur lui parce qu'il était magicien.

– Et il t'a cru ?

– Oui.

L'assemblée des sorciers s'esclaffe. Puis le Grand Maître déclare :

– Il semble que le moment soit venu de séparer la mère et le fils.

Tous approuvent.

– C'est aussi mon avis, renchérit Darkat.

Depuis que mon neveu a tenu entre ses mains l'épée de Eddhor, il est transformé.

–Il a tenu Ténébreuse ? fait le vieillard au bandeau d'argent. Bien, bien… ! Ainsi, la magie de ton père, qui fut notre plus puissant sorcier, a pénétré dans ses veines…

–Oui, Grand Maître. À présent, si le garçon m'est confié, je saurai le convaincre de mettre ses talents exceptionnels à notre service. Quant à sa mère…

C'est le sorcier nommé Torus qui termine la phrase :

–Sa mère sera folle d'inquiétude, prête à tout pour empêcher son fils chéri de devenir un véritable Addrak. Elle se décidera peut-être enfin à nous obéir et à appeler des dragons !

–Et si elle persiste dans son refus, ajoute Darkat, nous utiliserons Cham. Il aura bientôt en lui assez de puissance magique. Lui aussi, il sait parler aux dragons !

Un murmure satisfait parcourt l'assemblée, et le Grand Maître conclut :

–Alors, rien ne nous empêchera plus de

conquérir le royaume d'Ombrune. Tu as bien travaillé, Darkat !

Un éclair de fierté passe dans les yeux du jeune sorcier, mais il incline la tête d'un air modeste :

– J'ai simplement servi la cause des Addraks, comme Eddhor, mon père, m'a enseigné à le faire.

Ce que les sorciers ignorent, c'est que loin, très loin de là, les élusims ont transmis aux dragons sauvages le message de Dhydra. Et loin, très loin de là, dans leur mystérieux royaume, les dragons tiennent aussi conseil.

« Ainsi, déclare Nhâl, l'un des Anciens, les Addraks ont réussi à empoisonner l'âme du fils de Dhydra. »

« C'est un malheur, soupire Selka. Mais je connais le garçon. Son cœur est bon, et il a déjà prouvé son courage. Souvenez-vous comment il a affronté la Kralaane.[1] Avec notre aide, il retrouvera ses esprits. »

---

1. Lire *La Bête des Profondeurs* (Les dragons de Nalsara, nº 3).

« Espérons-le, Selka, reprend Nhâl. Espérons-le... »

Le lendemain matin, lorsque Darkat vient de nouveau chercher Cham, il comprend avec plaisir que le garçon l'attendait. Dhydra s'en aperçoit aussi, et son angoisse grandit. Avant de laisser partir son fils, elle l'attire contre elle pour lui chuchoter un dernier avertissement.

–Mais oui, maman, ne t'inquiète pas ! bougonne-t-il.

Se dégageant d'un mouvement agacé, il s'empresse de suivre son oncle.

Cette fois, Cham reste absent toute la journée. Et, le soir venu, il ne revient pas.

Dhydra marche de long en large dans le cachot, nerveuse. De temps en temps, elle s'arrête et tend l'oreille. Rien. Aucun pas ne résonne dans l'escalier.

Quand la nuit est tout à fait tombée, Dhydra tire son miroir de sa poche.

–Miroir, murmure-t-elle. Miroir, montre-moi mon fils !

Des vapeurs vertes et jaunes tourbillonnent sous la surface de verre. Puis elles s'écartent, et Cham apparaît. Il est vêtu de cuir noir : un pantalon serré, une veste à col droit et de hautes bottes. La tenue des Addraks ! Il a une épée à la main. Il tend le bras, plie une jambe, pointe l'arme devant lui. Il recule, recommence le même geste en riant, deux fois, trois fois.

« Darkat lui apprend à combattre, devine Dhydra. Et cela lui plaît. »

Cham essuie son front en sueur avec sa manche. Il s'approche d'une table. Des fruits sont disposés dans une coupe. Le garçon s'empare d'une charne et mord dedans à pleines dents.

– Oh, Cham, pas ça ! gémit Dhydra.

Elle passe la main sur le miroir comme pour effacer cette image qui lui fait trop mal : son fils est en train de devenir un véritable Addrak !

6

Présages de guerre

Tandis que sa mère se désole dans son cachot, Cham écoute les explications enthousiastes de Darkat :

– Vois-tu, mon neveu, quand nous aurons conquis le royaume d'Ombrune, nos deux pays ne seront plus qu'un ; ce sera un territoire immense, puissant, magnifique !

Le garçon objecte :

– Seulement, pour conquérir Ombrune, il faudra faire la guerre…

– La guerre a sa beauté, tu sais ! affirme Darkat. Les forts dominent les faibles, et c'est bien ainsi. Cette guerre, les Addraks la gagneront, car ils sont les plus forts.

– Même s'ils ne possèdent pas de dragons ?

– Nous avons la strige. Toutefois, des dragons nous assureraient une victoire rapide, si Dhydra acceptait enfin d'en appeler. Or, elle continue de refuser ! Elle est têtue, ma sœur !

Saisissant le garçon par les épaules, le jeune sorcier le regarde au fond des yeux :

– Toi, son fils, peut-être réussirais-tu à la convaincre ?

– Convaincre maman ? Je ne sais pas si je... Les dragons sont...

Cham est troublé, soudain. Quelque chose le dérange, dans cette conversation. Mais quoi ? Ses idées s'embrouillent, il n'arrive pas à réfléchir.

Darkat lui tend une grappe d'ournes :

– Tiens, mange ! Reprends des forces.

Le garçon refuse de la tête. Darkat déclare alors doucement :

– L'exercice t'a fatigué, mon neveu. Nous reparlerons de tout ça demain. Viens, je vais te montrer ta nouvelle chambre.

Dhydra est debout, face au Conseil des Sorciers. Celui-ci l'a convoquée pour lui demander une fois de plus d'appeler des dragons.

– Non !

La réponse claque, forte et claire. Un silence tendu tombe sur la salle.

Le Grand Maître fronce les sourcils, l'air courroucé :

– Dhydra, fille de Eddhor, voilà des années que nous patientons. Nous n'avons jamais cessé d'espérer que tu ferais un jour honneur à ton valeureux père. Mais tu t'obstines. Tu sais pourtant qu'avec des dragons dans notre armée, nous nous emparerions facilement du royaume d'Ombrune. Le projet grandiose des Addraks de régner sur un territoire bien plus vaste et bien plus riche risque d'échouer, et cela par ta faute.

Dhydra réplique sèchement :

– Par *votre* faute, le pays que vous gouvernez est devenu une terre de misère, où les gens vivent dans la peur, comme des esclaves. Votre magie noire empoisonne tout ! Tant que je pourrai l'empêcher, vous n'apporterez pas le malheur dans les belles campagnes d'Ombrune et dans ses villes prospères ! Je n'appellerai pas de dragons. Je ne vous laisserai pas asservir d'aussi nobles créatures. Jamais !

– En ce cas…, dit le Grand Maître.

Il adresse un signe à Darkat.

Le jeune sorcier se lève de son siège et déclare :

– Je suis désolé, ma chère sœur. Je pensais que tu te montrerais enfin raisonnable, et tu refuses encore une fois de nous

aider. C'est une fois de trop. Jusqu'à présent, tu as été bien traitée. Désormais, ta demeure sera un cachot oublié dans les caves de la citadelle. Au fond de ces souterrains, notre magie noire est si concentrée que ta magie blanche s'épuisera à y créer un peu de lumière. Tu vivras dans les ténèbres, et le pain que tu mangeras sera fait de farine pétrie avec de la cendre !

Le Grand Maître frappe dans ses mains. La porte s'ouvre, et deux gardes armés entrent.

–Emmenez-la ! ordonne le vieil homme.

Droite et fière, Dhydra marche vers la porte sans un mot. À l'instant où elle va sortir, Darkat s'exclame :

– Oh, j'oubliais… ! En vérité, ma sœur, nous n'avons plus besoin de toi. Car ton fils, lui, est le digne descendant de Eddhor. Il se montre très doué pour la magie noire. Or, comme toi, il sait parler aux dragons. Encore un peu d'entraînement, et il sera capable d'en attirer plusieurs dizaines jusqu'à nous !

Dhydra s'est retournée. Horrifiée, elle balbutie :

– Oh non ! Pas Cham ! Pas lui… !

– Emmenez-la ! répète le vieillard au bandeau d'argent.

Les gardes empoignent la jeune femme. Ils l'entraînent brutalement hors de la salle, et la lourde porte se referme sur eux avec un claquement sourd.

Au palais de Nalsara, messire Onys est assis à son bureau. Il observe la fumée sinistre qui s'échappe toujours du coffret contenant le cristal-qui-voit. Lorsque les magiciennes entrent, il leur jette un regard anxieux :

–Eh bien ? La guerre paraît inévitable, n'est-ce pas ?

Les magiciennes soupirent ensemble :

–Les présages annoncent une attaque, mais nous ignorons…

–… si elle aura lieu dans quelques jours ou dans quelques mois.

Le Maître Dragonnier se lève, la mine grave :

–Je vais prévenir Sa Majesté le roi Bertram. Soldats, dragons et dragonniers doivent s'équiper. Quant à vous, belles dames…

Isendrine et Mélisande hochent la tête :

–Nous allons d'ores et déjà préparer…

–… nos sorts de protection.

7

Un véritable Addrak

Depuis plus d'une heure, Cham s'entraîne avec Darkat.

–Bouge tes pieds ! ordonne ce dernier. Pare ! C'est ça ! Attaque, maintenant !

D'un revers du bras, le sorcier désarme son jeune adversaire, dont l'épée rebondit avec fracas sur les dalles.

–Tu es mort, mon neveu ! s'exclame Darkat en riant. Mais tu t'es bien battu ; tu fais de rapides progrès.

Cham va ramasser son arme en grommelant, contrarié :

–Il n'empêche... Dans un vrai combat, j'aurais été tué...

–Cham ! Tu n'as même pas onze ans ! Personne ne te demandera de te battre. Du moins... pas sans l'aide de la magie.

Le garçon fixe Darkat, intrigué :

–Que veux-tu dire ?

–Hmmm... Je ne devrais peut-être pas t'en parler maintenant.

Le sorcier s'approche de la table. Il s'empare d'une cruche de jus d'ournes pressées.

–Tiens, dit-il en la tendant à son neveu.

Cham avale une longue gorgée. L'exercice lui a donné soif, et il raffole de ce breuvage au goût de miel. Chaque fois qu'il en boit, il se sent... transformé ; il oublie ses craintes, ses doutes.

S'essuyant la bouche d'un revers de main, il insiste :

– De quoi ne dois-tu pas me parler ?

Darkat fait mine d'hésiter. En réalité, il veut piquer la curiosité du garçon. D'un ton confidentiel, il reprend :

– Imagines-tu qu'un Addrak aille au combat sans être protégé par la magie, et sans que son épée soit elle aussi chargée de sortilèges ? Cela lui permet de frapper son adversaire à coup sûr, ou presque.

– Pourquoi « presque » ?

– Parce que l'ennemi peut avoir lui aussi le même genre de protection.

– Ah, oui ! Mais...

Cham fronce les sourcils. Cela ne répond pas tout à fait à sa question.

Darkat sourit et enchaîne :

– Ce que je voulais dire, c'est qu'avec le

secours de la magie noire, tu seras vite capable de te battre comme un Addrak.

– C’est vrai ? s’exclame le garçon, radieux.

Le sorcier hoche la tête :

– C’est vrai. Et sais-tu ce que je crois ?

Darkat marque une pause, amusé de voir que Cham l’écoute bouche bée.

– Eh bien, poursuit-il, je crois qu’un jour prochain, tu chevaucheras un dragon ! Oui, tu seras dragonnier dans l’armée des Addraks, quand nous conquerrons le royaume d’Ombrune !

– Oh ! souffle Cham.

Devenir dragonnier ! Son rêve !

Darkat continue :

– Car nous aurons bientôt des dragons. Grâce à toi, mon neveu !

Cham hausse les sourcils, interloqué :

– À moi ?

– Oui, à toi. Ta mère a encore refusé ; désormais, nous n’attendons plus rien d’elle. Mais toi, tu es un véritable Addrak ! C’est toi qui vas appeler des dragons. Le

Conseil des Sorciers te confie cette noble tâche, sûr que tu te montreras le digne petit-fils de Eddhor !

– Tu penses vraiment que... j'en serai capable ?

Darkat prend Cham par les épaules :

– J'en suis sûr. Tu possèdes des dons exceptionnels ; encore un peu d'entraînement, et tu manieras parfaitement la magie noire. Je vais t'enseigner tout ce que mon père Eddhor m'a appris. Il a été le plus grand des sorciers addraks. Toi et moi, ensemble, nous deviendrons aussi puissants que lui !

Cham demande, très excité :

– Et, quand l'armée des Addraks possèdera des dragons, je serai dragonnier ?

Une image lui revient en mémoire, la première vision que lui a montré le cristal-qui-voit : *Au fond d'un vallon chevauchent une vingtaine de cavaliers en armures d'argent. Soudain, d'autres cavaliers cuirassés de noir surgissent entre les arbres. Dans une immense clameur, ils se jettent sur les*

cavaliers d'argent. Les eaux du ruisseau se teintent de sang. L'armée noire, bien plus nombreuse, a le dessus. Les cavaliers d'argent tombent les uns après les autres, en dépit de leur vaillance. Alors une ombre gigantesque monte du bout de la vallée ; elle fond sur le champ de bataille. C'est un dragon aux ailes immenses ; sur son dos, un dragonnier brandit une épée étincelante...
Le garçon se souvient des paroles de messire Damian, qui lui a donné le cristal : ce qu'il a vu, c'est le premier combat d'un jeune dragonnier. Lui, peut-être ? Lui, Cham ?

À cette pensée, le cœur du garçon se gonfle d'orgueil et d'émotion.

Puis il se rembrunit : quelque chose ne va pas. Le dragonnier de la vision n'était pas du côté des cavaliers noirs ; il venait au secours des cavaliers d'argent. L'armée d'Ombrune porte des armures d'argent ; ce sont les Addraks qui sont caparaçonnés de noir...

Darkat a perçu son trouble. Il s'empresse d'ajouter :

–Et sais-tu ce que je vais aussi t'apprendre?

–Quoi donc ? fait Cham, incertain.

–Je t'enseignerai les sortilèges qui permettent de maîtriser la strige. Je les tiens de mon père Eddhor ; je suis sûr qu'il aurait voulu les transmettre à son petit-fils.

Un frisson parcourt le dos du garçon. Ce qu'il éprouve, c'est de l'effroi mêlé à un extraordinaire sentiment de puissance. La strige, cette créature qui lui faisait si peur, lui obéirait ?

–Tu m'apprendras ça ? souffle-t-il.

Darkat a un petit rire satisfait :

–Oui, mon neveu ! Je t'apprendrai *ça* !

8

Dans le noir

Dhydra est assise par terre, le dos appuyé au mur. Le cachot où on l'a jetée est plongé dans une totale obscurité. Au bout d'un long moment, ses yeux finissent par s'y habituer, et elle discerne un trait vaguement plus clair, au ras du sol : le dessous de la porte.

Elle se lève et marche jusqu'à toucher cette porte. Elle tâte un bois dur renforcé de grosses barres de fer. Les verrous sont à l'extérieur, consolidés par un sortilège.

Se guidant de la main contre le mur de pierre, Dhydra fait le tour de sa cellule en comptant ses pas. Elle est dans une pièce carrée, d'environ deux mètres de côté. Elle tend l'oreille : pas un bruit. Malgré tout son courage, une vague de panique l'envahit : il lui semble être enfermée au fond d'un tombeau. Pourtant, elle ne regrette rien ; elle a agi comme elle le devait.

« Les dragons ont eu mon message, suppose-t-elle. Ils ne se laisseront pas tromper si Cham les appelle. »

Puis une autre pensée lui vient, et les battements de son cœur s'affolent :

« Mais, quand les Addraks verront que les dragons ne répondent pas, ils seront furieux. S'ils se vengeaient alors sur mon fils ? »

Dhydra respire lentement, s'efforçant de dominer son angoisse. Un instant, elle est tentée de créer un peu de lumière. Elle y renonce pour économiser ses forces. Darkat a dit vrai : dans ce lieu souterrain, la magie noire est extrêmement puissante. Dhydra a l'impression qu'elle lui colle à la peau, qu'elle lui entre dans les poumons à chaque inspiration.

Elle s'assied de nouveau, dos au mur et songe :

« Je dois être comme un ver dans son cocon : rester là sans bouger, sans penser, presque sans respirer. Et attendre, juste attendre... »

Plusieurs jours passent. Cham poursuit son entraînement avec Darkat : l'épée, bien sûr – et le garçon se bat de mieux en mieux. Mais aussi la magie. Sous la direction du jeune sorcier, Cham s'exerce à manier de noirs sortilèges. Il est capable, à présent, de faire surgir du sol des plantes aux épines empoisonnées, de transformer un bâton en serpent, de tuer un oiseau en plein vol à la seule force de son regard.

Parfois, cependant, il ressent un curieux malaise. Lorsque la première mouette qu'il a abattue est tombée morte à ses pieds et qu'il a ramassé le petit corps encore chaud, il a été pris d'une violente envie de pleurer. Et quand il a changé une flaque d'eau en une petite mare de sang, il a failli vomir. Heureusement, Darkat s'est empressé de le féliciter :

– Bravo, mon neveu ! Tu apprends vite ! Le Conseil des Sorciers est très satisfait de tes progrès. Sais-tu ce qu'a déclaré notre Grand Maître ?

– Non. Qu'a-t-il dit ?

– Qu'un jour, tu siègerais à ce conseil sur le fauteuil qui fut celui de Eddhor, ton grand-père !

– Oh…, fait Cham, la poitrine gonflée de fierté.

De telles paroles lui font oublier ses malaises. D'ailleurs, il lui semble que sa vie a commencé ici, dans la Citadelle Noire. À force de manger des fruits maléfiques, tout ce qui s'est passé avant s'efface peu à peu de sa mémoire.

Le huitième jour, Darkat estime que le moment est venu : il va mettre à exécution le plan qu'il a préparé.

– Cham, déclare-t-il solennellement, je t'ai fait une promesse : t'apprendre à maîtriser la strige. Nous allons commencer dès aujourd'hui !

D'une voix tremblante, le garçon demande :

– Mais, Darkat, à quoi cela va-t-il me servir ?

– Ah, mon neveu ! Celui qui peut chevaucher la strige voit sa puissance considérablement augmentée. Comprends-tu pourquoi ?

Cham réfléchit :

– Parce que... Parce que la strige est chargée de magie, celle que contient le diamant de Eddhor ?

–Exact ! Et cette puissance va t'aider à appeler des dragons. Il faut que tu en attires au moins trente jusqu'à nous. Ainsi, notre armée sera plus forte que celle d'Ombrune, qui n'en compte que vingt-sept. Tu possèdes un don exceptionnel, Cham. Tu es le seul Addrak qui sache communiquer avec les dragons !

Tout en parlant, Darkat a entraîné son neveu à l'extérieur de la citadelle. Ils descendent un sentier qui mène au pied de la falaise. Là se trouve la caverne qui abrite la strige.

En réalité, Darkat ment. La strige, le jeune sorcier est le seul à savoir la maîtriser. Et ce privilège, il ne le partagera pas avec Cham. Il veut simplement le faire accepter par la créature. Alors, la strige emportera le garçon au-dessus de la mer ; elle lui transmettra son énergie magique pour qu'il lance son appel jusqu'au lointain Royaume des Dragons. Darkat aurait de beaucoup préféré le faire lui-même. Hélas, il ne sait pas parler aux dragons. Que ce gamin en soit capable et pas lui le remplit de colère et de jalousie.

Ils sont arrivés devant l'entrée de la caverne. Une forme sombre bouge à l'intérieur. Darkat murmure une formule que Cham ne comprend pas. Puis il dit :

– Avance la main, que la strige puisse te sentir.

Le garçon obéit. Il frémit lorsqu'une sorte de gueule froide lui happe les doigts, tandis qu'une phrase résonne à l'intérieur de son crâne :

« Que veux-tu de moi ? »

L'évasion

À l'instant où la strige entre en contact avec Cham, Dhydra tressaille dans son cachot : elle a senti autour d'elle une vibration de magie.

– Cham..., s'écrie-t-elle. Cham, qu'es-tu en train de faire ?

Voilà huit jours qu'elle est enfermée là, dans le noir. Elle le sait car, par huit fois, on lui a apporté une cruche d'eau et un morceau de pain dur, dont la mie crisse sous les dents. « Le pain que tu mangeras sera fait de farine pétrie avec de la cendre », a dit Darkat.

Mais à présent, elle doit agir.

« Il faut que je sorte d'ici », songe-elle.

Pendant ces longues heures, la jeune femme a concentré en elle ses pouvoirs, à l'aide de son miroir. Un si petit objet, caché au fond de sa poche ! Une chance que les Addraks n'aient pas pensé à la fouiller ! Malgré la magie noire qui l'environne, elle se sent assez forte pour tenter une transformation. Pourtant, quelque chose lui dit que l'heure n'est pas venue.

Alors, elle patiente.

Trois jours s'écoulent encore. Jusqu'au moment où – est-ce le matin, est-ce le soir ? – la vibration se reproduit, plus forte que la première fois.

« Maintenant ! » décide Dhydra.

Elle se lève et se dirige vers la porte. Il y a bien peu d'espace en dessous. Mais, au centre, à l'endroit où la pierre du sol a été usée par les pas, il s'est formé un léger creux. Dhydra le mesure du bout du doigt. Elle murmure :

– Oui, ça passera…

Elle pose par terre le sachet contenant son miroir et le pousse sous la porte. Il est passé ! À son tour, à présent. La magicienne se concentre. Elle écarte les sinistres émanations de magie noire qui l'environnent. Puis elle ferme les yeux et souffle :

–*Myrmidon !*

Il lui semble tomber d'un coup au fond d'un puits.

Devant Dhydra, le creux sous la porte forme une haute arcade. La fourmi qu'elle est devenue se précipite dessous de toute la vitesse de ses six pattes. Deux secondes plus tard, la jeune femme a repris sa forme humaine. Elle se laisse tomber sur le sol, épuisée : la magie noire, tout autour, a absorbé sa magie blanche. Mais elle a réussi : elle est de l'autre côté !

Dhydra s'accorde quelques minutes de repos. Elle ne craint pas trop d'être surprise dans les souterrains. Un seul homme y descend, celui qui lui apporte son quignon de pain quotidien – pas un des douze sorciers, mais sans doute un de leurs apprentis, car il sait manier la magie qui ouvre et referme les verrous. Elle doit cependant trouver une sortie, et vite ! Dans le silence de son cachot, elle a beaucoup écouté, mesurant les distances à l'oreille. Elle a perçu le bruit des vagues déferlant au pied de la falaise. Elle sait vers où se diriger : trois étages au-dessus, à droite. Avec un peu de chance, elle trouvera une ouverture sur la mer.

Le corridor est presque aussi obscur que sa cellule. Cependant, une faible lueur lui permet de discerner, au fond, les premières marches d'un escalier.

L'heure est solennelle : Cham, chevauchant la strige, s'apprête à survoler la mer et à filer droit vers le Royaume des Dragons. Il sait quelle formule employer pour faire venir des dragons ; il l'a déjà utilisée. Quand ? Pourquoi ? Il ne s'en souvient pas. Mais cela ne le trouble plus. L'important, c'est ce qu'il vit maintenant. L'important, c'est qu'il va aider les Addraks à conquérir un vaste territoire. Grâce à lui, Cham, petit-fils de Eddhor, les Addraks déjà si puissants vont devenir plus puissants encore !

Le Conseil des Sorciers assiste à son départ. Dans la pâle lumière de l'aube, les douze hommes se tiennent debout au sommet du donjon qui domine la Citadelle Noire. Leurs longues robes noires claquent dans les bourrasques. Darkat est parmi eux. Lui aussi, pour la circonstance, a revêtu la robe de cérémonie. Appuyé aux créneaux de la tour, il regarde Cham, tout en bas. Le garçon est assis sur le dos de la strige, qui a pris sa forme de dragon.

– Ce que nous attendons depuis si longtemps est sur le point de se réaliser ! annonce le jeune sorcier.

– C'est bien, Darkat, dit le vieil homme au bandeau d'argent. Envoie ta créature !

Accroupie sur une avancée rocheuse, la strige attend l'ordre de son maître. Darkat lui parle en pensée :

« Va, ma belle ! Vole vers le soleil levant ! Emporte celui que je t'ai confié aussi loin que tu pourras ! Et quand des dragons viendront, appelés par sa voix, ramène-les jusqu'à moi ! »

La strige se ramasse sur elle-même. Puis elle déploie ses ailes de fumée et décolle. Cham, cheveux au vent, pousse une grande exclamation :

– Je commande à la strige ! Et je vais commander aux dragons !

En haut du donjon, les douze sorciers, les bras levés, soutiennent la créature en récitant les formules de puissants sortilèges.

« Enfin ! songe Darkat, le cœur gonflé d'orgueil. Enfin nous allons réussir ! *Je* vais réussir ! »

Dhydra a gravi trois étages d'un pas silencieux. Ses oreilles ne l'avaient pas trompée, elle est maintenant au niveau de la mer : elle respire un air salé, venant du fond d'un corridor, et le bruit des vagues est tout proche. La jeune femme court dans cette direction. Sur sa droite, elle découvre une meurtrière, creusée dans l'épaisseur des

murailles. C'est de là que vient ce souffle froid, dont ses poumons s'emplissent avec délice : le vent de la mer !

Dhydra s'approche de l'étroite ouverture. Derrière d'épais barreaux de fer, elle voit l'étendue grise de l'océan, striée d'écume blanche. Elle est libre ! Du moins, presque. Il lui suffit de se changer en chouette blanche…

Horlor gorom !

Oui, Dhydra serait libre si elle ne se sentait pas aussi épuisée. La magie noire émanant de chaque pierre de la citadelle ronge ses forces. La jeune femme s'appuie contre le mur rugueux, enfonce la main dans sa poche. Ses doigts se referment sur le miroir. En sortant de son cachot, dès qu'elle a eu repris sa forme humaine, elle s'est empressée de le ramasser. Trouvera-t-elle encore en lui assez d'énergie pour se transformer une deuxième fois ?

– *Slimane,* murmure-t-elle. *Vanya slimana*... La mer, le vent de la mer...

La mer est libre, et libre est le vent. Les yeux fermés, Dhydra inspire à fond, expire lentement.

Au bout d'un moment, elle se sent prête à tenter la métamorphose. Elle passe à son cou le cordon du sachet contenant son miroir. Puis elle se concentre, et...

C'est fait ! Elle est devenue une chouette blanche ! Vite, elle se glisse entre les barreaux. Elle est dehors ! Le vent ébouriffe ses plumes. Elle prend son envol et va se poser au sommet d'un rocher, à quelque distance de la muraille. Si des sentinelles surveillent les environs du haut des remparts, ils ne s'inquièteront pas de la présence d'un oiseau.

Son regard est alors attiré par un mouvement insolite, au-dessus d'elle.

Elle lève la tête.

La strige ! Et sur la strige, ce garçon vêtu de cuir, c'est...

– Cham !

Sous le choc, Dhydra perd sa concentration. En une seconde, elle redevient femme. À genoux sur le rocher, elle tend vers le ciel des bras désespérés :

– Cham, mon petit, ne fais pas ça !

Mais le jeune cavalier et sa sinistre monture ont déjà disparu, telle une flèche noire lancée à travers les nuages.

Au Royaume des Dragons, Selka, Nhâl et les autres Anciens se tiennent sur le rivage. Ils guettent l'approche de la strige.

« C'est Cham qui la chevauche », constate Selka.

« Tu avais raison, Selka, soupire Nhâl. Les Addraks ont décidé de se servir de lui. »

« Oui. Ce ne sera pas très difficile de les repousser, lui et le monstre. Mais je crains que Dhydra ne soit en danger. »

« Dhydra est forte, affirme Nhâl. Nous l'aiderons quand il le faudra. Pour l'instant, préparons-nous à répondre à l'appel du garçon. »

« La réponse va l'étonner, je crois.

Quoique… Elle lui rappellera sans doute quelque chose… »

La strige fend les airs, et Cham sent une énergie prodigieuse l'envahir : celle de la magie noire. Loin devant lui, il devine la présence des dragons. Ils sont là, nombreux. Il va les appeler, les entraîner à sa suite, les ramener vers la citadelle ! Il va le faire maintenant !

Le garçon lève les bras et, de toute la force de ses poumons, de toute la puissance de son esprit, il clame :

– *Virnié nouri straji !*

Presque aussitôt, de sombres silhouettes ailées montent du fond de l'horizon.

Les dragons ! Ils lui obéissent ! Ils viennent vers lui !

Soudain, un vent brûlant le gifle furieusement. Une rafale d'une violence inouïe bouscule la strige, qui tourbillonne telle une feuille dans la tempête. Cham, terrifié, s'accroche à la créature de fumée. Quel est ce phénomène ? Est-ce le souffle des dragons ?

Deux mots terribles, lancés par des dizaines de voix, éclatent alors à ses oreilles : *Horlor gorom !*

À cette espèce de coup de tonnerre, la strige se replie sur elle-même. Une nouvelle rafale l'envoie valdinguer dans les airs. Et Cham hurle de terreur, car il a lâché prise. Il tombe ! Il tombe comme une pierre vers la surface grise de l'océan.

Ce qui se passe ensuite, Cham n'en a qu'une idée confuse. Il s'enfonce dans des flots glacés ; tout devient noir. Puis il se sent soulevé, transporté. Il inspire, et ce n'est pas de l'eau qui entre dans ses poumons, mais de l'air. De nouveau, il perd conscience.

Quand il ouvre les yeux, il est couché sur un sol dur. Le visage de sa mère est penché vers lui.

Le garçon se redresse à demi :

– Maman ? Où sommes-nous ?

– Dehors, Cham. Sur un rocher, au pied de la Citadelle Noire, là où un élusim vient de te déposer. Il m'a dit être un ami de ta sœur.

– Vag ? C'est Vag qui m'a amené ici ? Mais, maman, que m'est-il arrivé ?

Sa mère a un petit rire :

– Eh bien, mon fils, on dirait que ce bain forcé t'a lavé les idées ! Sais-tu que tu as bien failli devenir un véritable sorcier addrak ?

Cham écarquille les yeux :

– Moi ? Un sorcier addrak ?

Dhydra redevient grave :

– Je t'expliquerai plus tard. Ne restons pas là, nous sommes en danger. Si tu devais te transformer en oiseau, Cham, lequel choisirais-tu ?

– En… oiseau ? balbutie le garçon, abasourdi.

Transi de froid dans ses vêtements mouillés, il claque des dents et se sent incapable de réfléchir.

– Vite, mon petit ! le presse sa mère. Quel oiseau ?

– Un… euh, un moineau.

– Excellent choix ! approuve Dhydra. Maintenant, concentre-toi, imagine cette petite bête, et répète : *Borodié !*

L'instant d'après, une chouette blanche et un moineau brun filent dans les airs. Fuyant la sinistre forteresse des Addraks, ils se dirigent vers le sud à tire-d'aile.

Au palais de Nalsara, Isendrine et Mélisande font irruption dans le bureau de messire Onys. Le Maître Dragonnier est en conversation avec Antos et Nyne.

–Eh bien, belles dames ! Que se passe-t-il ?

Les magiciennes affichent un large sourire :

– Dhydra et Cham se sont échappés ! Les présages parlent…

– … de deux oiseaux qui s'envolent !

– Deux oiseaux ! s'exclame Nyne.

« L'un d'eux est une chouette blanche, bien sûr, pense-t-elle. Et l'autre ? »

Courant à la fenêtre, la petite fille scrute le ciel. Sa mère et son frère sont encore bien loin de Nalsara. Mais ils sont libres. Bientôt, oui bientôt, elle les reverra !

Retrouve vite Cham et Nyne
dans la suite des aventures de

Tome 11
Les maléfices du marécage

Les dragons de
Nalsara